Chapitre 1

Le génie de Verlaine

— Mais, Fibrine, tu ne peux pas continuer à avoir peur du sang! C'est un trop gros problème pour une sangsue. Verlaine croit qu'il peut t'aider. Allez! Ne le fais pas attendre, conseilla Globule.

Fibrine soupira et entra seul dans la maison du ver de terre.

Quelques minutes plus tard, Verlaine apparut sur le pas de la porte.

— Attention, mesdames et messieurs, vous n'en croirez pas vos yeux!

Fibrine fit alors son apparition. Il portait des verres fumés et arborait un grand sourire.

— Wow! s'écria Globule. Tu ressembles à une vedette de Bloodywood!

— Merci. En plus, le truc de Verlaine, ça marche! J'ai dévoré un décilitre de sang au complet et je ne me suis même pas senti mal! Je pourrai enfin mordre dans une belle grosse truite!

— C'était donc la couleur du sang qui te rendait malade? Il suffisait d'y penser! Verlaine, tu es un génie!

Le ver de terre toussota et répondit :

— Hum, hum! Un génie, c'est vite dit,

Je ne suis tout de même pas Léonard de Vinci!

Fibrine remercia Verlaine et partit avec Globule à la recherche d'un bon repas chaud. Ils se promenèrent tout l'après-midi. Mais le soleil déclinait rapidement sur la surface du lac et la nuit s'annonçait déjà.

— Dépêche-toi, Fibrine, il fera noir bientôt.

— Oui, mais je n'y vois rien avec ces verres fumés.

—- Pourquoi les portes-tu tout le temps? Tu n'en as besoin que pour te nourrir!

Fibrine s'arrêta net et regarda Globule d'un air offusqué.

— Parce que c'est ma nouvelle image, voyons!

— Ne te fâche pas! Fais tout de même attention, tu te cognes partout et tu me rentres dedans.

Globule s'immobilisa d'un coup sec. Fibrine lui fonça dessus.

— Qu'est-ce que tu fais? Tu me demandes de me dépêcher et tu t'arrêtes aussitôt! Faudrait savoir!

— Quelque chose est fixé au rocher là-bas.

— Je ne vois rien!

— Avec ces lunettes, tu ne verrais pas une baleine bleue à mes côtés!

En se rapprochant, Globule vit qu'il s'agissait d'une publicité du journal local, *Au fond du lac*. Déçu, il s'apprêtait à repartir quand Fibrine s'écria :

— Regarde! Une pièce de théâtre sera présentée dans la région. On cherche des acteurs locaux.

— Et alors?

Fibrine fixait toujours la publicité.

— Des acteurs, ils cherchent des acteurs! C'est un signe. Depuis ce matin, je savais que quelque chose de spécial allait arriver. Je vais enfin devenir une vedette!

Chapitre 2

L'audition

Les auditions eurent lieu à l'école le samedi suivant. Fibrine, qui portait toujours ses verres fumés, avait réussi à convaincre Globule de l'accompagner, malgré les réticences de ce dernier.

Une sangsue au visage sévère se tenait à l'entrée de la cafétéria.

— Bonjour, madame, dit Fibrine. Je viens pour décrocher un rôle.

— Vous avez le numéro seize. Voici le texte pour vous et votre copain. Apprenez-le en attendant qu'on vous appelle. Suivant!

— Non, non, protesta Globule, je ne veux pas jouer. Je ne suis

venu que pour accompagner mon ami.

— Et alors! Il faut bien que quelqu'un lui donne la réplique. J'ai dit : suivant!

Globule et Fibrine allèrent s'installer un peu plus loin.

— Connais-tu *Roméo et Juliette*? s'informa Fibrine.

— Verlaine m'a déjà parlé de cette pièce. C'est une histoire d'amour.

— J'ai le rôle d'un certain Benvolio. Et toi?

— Moi, c'est Roméo, répondit Globule. C'est toi qui commences.

— *Bonne matinée, cousin!*

— Euh... *Le jour est-il si jeune encore?*

— *Neuf heures viennent de sonner.*

— *Oh! Que les heures tristes semblent longues...* Dis donc, Fibrine, pourquoi penses-tu qu'il est triste, Roméo?

— Je ne sais pas. Il a peut-être peur du sang!... Bon, je reprends... *Quelle est donc la tristesse qui allonge les heures de Roméo? Amoureux?*

— *Éperdu...*

— *D'amour?...* Je ne savais pas qu'on pouvait être triste d'amour. Ça t'est déjà arrivé, Globule?

— Jamais!

Ils répétèrent jusqu'à ce que l'on crie leur numéro. Avant d'entrer dans le local où avait lieu l'audition, Globule remarqua une grande sangsue plus loin dans le corridor, qui lui tournait le dos. Cette silhouette lui rappelait quelqu'un, mais qui?

— Alors, ça vient? hurla une voix teintée d'impatience.

La voix venait d'un coin de la salle. Bien installé dans un fauteuil de réalisateur, un personnage portant un béret et un foulard de soie au cou examinait Fibrine et Globule. Des accessoiristes vinrent habiller les deux sangsues d'un chapeau à plumes, d'un justaucorps et d'une rapière à la taille. Globule éclata de rire en voyant son copain ainsi vêtu. Fibrine, lui, avait un trac fou. Il commença à déclamer son passage d'une voix tremblotante.

— B... b... bonne matinée, cousin!

— Le jour est-il si jeune encore? Et un peu plus tard...

— Dites-moi sérieusement qui vous aimez.

— Sérieusement? Roméo ne peut le dire qu'avec des sanglots, lança Globule.

— Assez! interrompit la sangsue au béret. Mon choix est fait. Superbe! Magnifique! Félicitations, mon garçon, vous avez du talent!

Fibrine s'avança, rayonnant.

— Merci, monsieur. Merci beaucoup. Je suis la sangsue la plus heureuse du monde et je…

— Non, pas vous! C'est votre copain que j'ai choisi. Globule, c'est bien ça? Enchanté, je suis Hémophile Coumarine, metteur en scène.

— Mais c'est moi qui veux le rôle, pas lui! protesta Fibrine.

— Désolé, fiston. La prochaine fois, peut-être, répondit le metteur en scène en lui tapotant l'épaule.

Globule s'interposa.

— Voyons, confiez ce rôle à Fibrine. Je ne faisais que lui donner la réplique.

— SILENCE! hurla monsieur Coumarine en tapant sur la table. C'est moi qui décide et c'est tout décidé! Globule, vous allez jouer Roméo. Votre jeu est d'un naturel! Vous avez ça dans le sang! Signez ici, sur ce contrat... Voilà! Les répétitions commencent la semaine prochaine. D'ici là, vous devez apprendre votre texte par cœur.

Globule était bouche bée. Les choses n'auraient pas dû se passer ainsi.

— Fibrine, je suis désolé. Je ne voulais pas jouer dans cette pièce, dit-il en se tournant vers son ami, mais…

Il n'y avait plus personne. Fibrine était parti.

Chapitre **3**

Quand tout s'écroule!

À l'école, durant toute la semaine, Globule tenta de parler à Fibrine, mais ce dernier le fuyait. Et quand Globule se présenta chez son ami, la mère de Fibrine, mal à l'aise, lui dit que son fils ne voulait voir personne. De guerre lasse, Globule décida d'attendre que son copain revienne à de meilleurs sentiments.

La première répétition eut lieu le samedi suivant. Globule s'y rendit le cœur gros, en pensant qu'il aurait bien donné sa place à Fibrine. Toutefois, lorsqu'on lui présenta celle qui allait tenir le rôle de Juliette, on eut dit que son cœur lui faisait moins mal. Elle s'appelait Globuline, avait de grands yeux noirs et de mignonnes petites dents.

— Bonjour, Globule. Je suis heureuse de travailler avec toi, lui dit-elle d'une voix douce.

— Bonsoir... euh... bonjour, bafouilla Globule. Moi aussi, je

suis heureuse… euh… heureux
de vous… je veux dire de jouer
avec vous.

Le décor – la place centrale
d'une ville européenne avec des

façades de maisons tout autour –
avait été installé. Sur l'une
d'elles, le balcon de Juliette
faisait saillie.

On répéta jusqu'à la pause de
midi. Globule mangea en vitesse
et se rendit chez Fibrine. Mais

ce dernier était sorti sans dire à sa mère où il allait.

Après le dîner, on reprit le travail en s'attaquant à la scène du balcon. Monsieur Coumarine donna ses instructions à Globule.

— Alors, vous entrez côté cour, vous jouez votre scène et vous sortez côté jardin. C'est compris?

— Je ne vois ni cour ni jardin, s'étonna Globule.

— Mais non, il n'y en a pas! Il s'agit de termes de théâtre : côté cour c'est à votre gauche, côté jardin c'est à votre droite.

— Ah! je comprends maintenant.

— Bravo! Tout le monde en place. À vous, Globuline chérie, lança le coloré metteur en scène à l'actrice déjà juchée sur son balcon.

— *Ô Roméo, Roméo! Pourquoi es-tu Roméo? Renie ton père et abdique ton nom.*

— *Dois-je l'écouter encore ou lui répondre?* demanda Globule en entrant du côté gauche.

— *Quel être es-tu, toi qui, ainsi caché par la nuit, viens te heurter à mon secret?* répliqua la starlette avec émotion tout en s'appuyant sur la rampe du balcon.

On entendit aussitôt un craquement sinistre et, sous les

regards horrifiés de la troupe, toute la structure du décor s'écroula. Quand la poussière fut retombée, tous s'élancèrent vers Globuline, oubliant Globule. Celui-ci surgit des décombres. Heureusement, il n'avait que quelques égratignures!

Monsieur Coumarine était dans tous ses états :

— Quelle catastrophe! Un accident à la première journée de répétition. Vous n'êtes pas blessé, mon chéri?

— Non, dit Globule en toussant. J'ai un peu de vase dans la bouche, c'est tout.

— On fait une pause, le temps de voir s'il n'y a pas de blessés dans les coulisses. Il faut aussi tout nettoyer!

Peu de temps après, un membre de la troupe vint glisser quelques mots à l'oreille du patron en lui montrant un bout de planche.

— Vous en êtes sûr, Boris? Ça me semble absolument impossible!

— Qu'est-ce qui se passe? demanda Globule.

— On me dit que ce n'était peut-être pas un accident. La poutre qui soutenait le balcon semble avoir été sciée.

— On en veut à ma vie! s'écria Globuline, bouleversée. Puis elle perdit conscience.

Globule la rattrapa de justesse, la prit dans ses bras et alla la déposer doucement sur un divan. Au bout d'un moment, le sang revint aux joues de l'actrice et elle reprit ses sens.

— Croyez-vous que quelqu'un vous en veuille, ma chérie? s'inquiéta monsieur Coumarine.

Globule intervint.

— Globuline se trouvait sur le balcon et n'avait qu'à nager sur place pour éviter la chute. On visait plutôt celui qui se trouvait en dessous : moi!

— Qui peut vouloir vous nuire? Et pour quelle raison?

— Je n'en ai aucune idée.

— As-tu des ennemis? demanda Globuline. Aurais-tu volé le cœur d'une belle qu'un autre convoite? Ce serait si romantique!

— Non pas le cœur d'une belle, l'interrompit monsieur

Coumarine, mais le rôle qu'un autre convoitait, oui. C'est cela! Votre copain qui est venu passer l'audition avec vous! Voilà le coupable!

— Mais non! protesta Globule. Pas Fibrine! C'est mon ami!

— C'ÉTAIT votre ami! Maintenant, il vous en veut. Il faudra vous tenir sur vos gardes.

Globule était consterné.

Chapitre 4

Verlaine entre en scène

Verlaine s'étira longuement dans son lit de feuilles mortes. Quel joli rêve il venait de faire! Parti en voyage chez son cousin le ver à soie chinois, où il avait visité les plus beaux sols, de même que la vase des lacs. De bonne humeur, il décida d'aller faire un tour. En sortant, il faillit trébucher sur Fibrine, assis sur le pas de la porte.

— Ah! Bonjour, Fibrine! Tu es seul?

Que fais-tu si tôt le matin sur mon seuil?

— Je suis malheureux. J'aimerais parler à Globule et pourtant, je l'évite depuis plus d'une semaine. Tu comprends, il a

obtenu le rôle à ma place et moi, furieux, je l'ai envoyé paître! J'aurais tellement aimé avoir ce rôle!

— Oui. Mais vois-tu, Fibrine, La vie ne se déroule jamais Tout à fait comme on le voudrait.

— Tu as raison… Je devrais aller présenter mes excuses à Globule.

— Tu n'as pas à t'excuser, dit Globule qui venait d'arriver. J'aurais dû refuser le rôle.

— Je suis désolé, avoua Fibrine. Je me suis très mal comporté. Tu ne dois pas abandonner, tu as vraiment beaucoup de talent. J'irai t'encourager aux répétitions, si tu le veux bien.

— J'ai mieux à te proposer.

Globule raconta à Fibrine les événements de la veille, sans toutefois mentionner les soupçons qui pesaient sur lui.

— Qui peut bien avoir fait une chose aussi horrible?

— Je ne sais pas. Mais un comédien a été blessé et ne peut continuer. Accepterais-tu de le remplacer?

— Un rôle pour moi? Tu en es sûr?

— Oui. Monsieur Coumarine est d'accord. Je lui ai dit que tu passerais le voir.

— Merci, Globule! Tu ne le regretteras pas. J'y vais tout de suite.

Globule resta seul avec le ver de terre. Celui-ci fronça les sourcils.

— Ou bien je me fais vieux
   Et un plus un ne font plus deux.
   À voir ta mine,
   Tu caches quelque chose à Fibrine.

— Tu as raison, Verlaine. Voici toute l'histoire.

Chapitre 5

Un nouvel incident

— Alors j'ai pensé que si Fibrine se joignait à la troupe, les autres verraient bien qu'il ne peut pas être le coupable.

— Même si tes intentions sont louables,
Il aurait été préférable
Que Fibrine sache qu'on le croit responsable.

— Je sais, mais j'avais peur qu'il refuse mon offre. Et quand monsieur Coumarine a dit qu'il voulait appeler la police, je lui ai aussitôt suggéré de prendre Fibrine comme acteur, ce qui lui permettrait de le surveiller à sa guise.

— N'as-tu rien observé
d'anormal,
Ni vu personne de spécial?

— Non. Tout le monde m'a paru correct.

— Et lors des auditions,
Tout s'est-il bien déroulé?
N'as-tu rien remarqué?

— Euh!... Peut-être... Oui, ça me revient. Juste avant

l'audition, j'ai aperçu, de dos, une grande sangsue qui dépassait tout le monde d'une tête. J'ai alors eu le sentiment étrange que je la connaissais. Mais ce n'était sans doute qu'une impression.

— Hum, hum! fit Verlaine.

Le ver de terre décida d'assister à la répétition suivante.

Une certaine excitation régnait dans la troupe. On répétait un duel entre Roméo et Tybalt, le personnage que jouait Fibrine. Pour quelqu'un qui avait appris son texte en vitesse, l'ami de

Globule s'en sortait plutôt bien. Après un débat oratoire de quelques minutes, les deux belligérants dégainèrent et engagèrent le combat. Évidemment, les épées de théâtre ont une

lame rétractable inoffensive. Néanmoins, lorsque l'épée de Globule atteignit Fibrine à l'épaule, le sang se mit à gicler et Fibrine cria de douleur.

— ASSEZ! hurla monsieur Coumarine. Que se passe-t-il donc encore?

En examinant l'épée, on se rendit compte que l'accessoire de théâtre avait été remplacé par une vraie arme, à la lame bien affûtée.

— Je n'y comprends rien! S'il était le saboteur, il ne se blesserait quand même pas lui-même! s'exclama le metteur en scène.

— Que voulez-vous dire? s'étonna Fibrine.

— Monsieur Coumarine te croyait responsable de l'accident de l'autre jour, expliqua Globule. Il pensait que tu avais agi par vengeance parce que tu n'avais pas obtenu le rôle. Excuse-moi si je te l'ai caché, mais en t'intégrant dans la troupe je souhaitais prouver ton innocence.

— Ça va, je comprends… Mais qui a intérêt à nuire à cette pièce? demanda Fibrine.

Verlaine intervint :

— Ou alors, qui en veut à
    deux amis,
    Car vous étiez tous deux
    visés :
    Globule, sous le balcon,
    enseveli,
    Et toi, Fibrine, par cette
    lame, blessé.

— ÇA SUFFIT! s'écria le metteur en scène. Puisque la blessure n'est pas trop grave, reprenons toute la scène. Mais

auparavant, Boris, de grâce
vérifiez toutes les épées!

Chapitre 6

La première

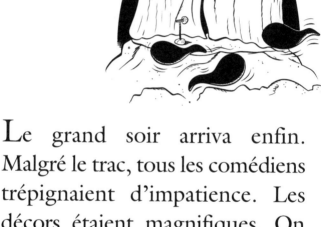

Le grand soir arriva enfin. Malgré le trac, tous les comédiens trépignaient d'impatience. Les décors étaient magnifiques. On se serait vraiment cru dans une ville italienne de l'époque de Roméo et Juliette.

La salle était pleine à craquer. La mère et les amis de Globule

étaient là : Héma, le docteur
Caillot, monsieur Hème, le
professeur Phlébite, Ampère et
Ampoule[1]. Caché derrière le
rideau de scène, monsieur
Coumarine regardait l'assistance.
Satisfait, il se dirigea vers les
coulisses afin de s'assurer que

[1] Voir les autres titres de la série Globule, Éditions Michel Quintin.

tout son monde était prêt. Dans la salle, sous une lumière tamisée, retentit le signal du début de la pièce : trois coups frappés sur le plancher. PAN, PAN, PAN!

Le rideau se leva. Les scènes se succédèrent devant un public visiblement subjugué. On arriva à la fin du dernier acte – au cimetière –, où Roméo, croyant la belle Juliette décédée, veut se donner la mort. Globule, penché sur le corps de Globuline, saisit la fiole contenant le poison et s'apprêta à en boire le contenu en déclamant :

— *À ma bien-aimée...*

Avant qu'il eût le temps de terminer sa phrase et d'avaler la moindre goutte, Globuline se redressa d'un bond. Globule en fut si surpris qu'il échappa la fiole. Un murmure parcourut l'assistance. Voyant cela, le metteur en scène tenta de fermer le rideau. Hélas! le mécanisme s'enraya et le rideau s'effondra,

recouvrant tous les acteurs. Les
spectateurs, surpris, entendirent
des bribes de phrases çà et là.

— Attention, attrapez-le, c'est
lui…

— Il est dangereux, laissez-
le-moi…

— Qui êtes-vous? Vous n'êtes pas un comédien! Que faites-vous ici?…

— Aïe! Il m'a frappé…

— Vite, rattrapez-le! Il s'enfuit…

Peu à peu, le calme revint. Monsieur Coumarine présenta

ses excuses aux spectateurs, les invitant à assister à la représentation du lendemain soir. Pendant ce temps, Globule et les autres acteurs avaient réussi à se dégager.

Globule interrogea Globuline :

— Pourquoi vous êtes-vous redressée si brusquement au moment où je m'apprêtais à boire?

— C'est qu'un peu avant le lever du rideau, j'ai vu un individu rôder sur la scène. Il semblait s'intéresser particulièrement au contenu de la fiole. C'est seulement au moment où tu portais la fiole à ta bouche que je me suis rendu compte que le liquide n'était plus de la même couleur. Je n'ai pas hésité une seconde. Il fallait t'empêcher de l'avaler.

— Je vous remercie de tout cœur, Globuline.

Puis se tournant vers Verlaine, Globule demanda :

— As-tu vu cet individu? Qui était-ce?

— Oui, je l'ai bel et bien vu. Mais il m'est inconnu.

— Peu importe, intervint monsieur Coumarine. Il s'est enfui.

Verlaine prit la parole :

— J'ai pris mes précautions. Pour attraper ce faux jeton,

J'ai fait appel à un complice
Et posté à la sortie, Clovis[1]!
L'écrevisse apparut alors, tenant par le collet une grande sangsue à la mine déconfite.

— Varice! s'écrièrent en même temps Globule et Fibrine.

[1] Voir *Globule pris au piège*, Éditions Michel Quintin.

— Vous connaissez cet individu! s'exclama Clovis.

— Oui. Je vais vous raconter, dit Globule. Et il résuma les récents événements survenus à l'école[1].

À la lumière des explications de Globule, Clovis, qui avait eu lui aussi des comportements répréhensibles à l'école, demanda qu'on attende avant de porter plainte contre Varice. Il proposa à celui-ci des rencontres où tous deux pourraient simplement discuter. Par cette démarche, Clovis souhaitait aider la sangsue à changer un comportement qui,

[1] Voir *Globule – Des voyous à l'école*, Éditions Michel Quintin.

de toute façon – il le savait pour
l'avoir vécu –, ne lui causerait que
des problèmes. Toutefois, pour
que ces rencontres puissent avoir
lieu, il faudrait d'abord que le
tuteur de Varice soit d'accord.

Varice fut très touché par
l'offre. Et il fut heureux d'apprendre que tous acceptaient de
lui donner une seconde chance.

La pièce fut reprise le lendemain, comme convenu. Globule
et Fibrine reçurent des félicitations, mais la grande vedette
fut la belle Globuline.

La jeune première quitta
bientôt la région avec la troupe
régulière, au grand dam de
Globule. Avant de partir, cepen-
dant, elle prit soin de lui remettre
le programme de la tournée. Ils
pourraient ainsi correspondre et,
peut-être, devenir de grands
amis…

Table des matières

Les aventures de Globule :